★ ★ ★ ★ ★

我发现了爷爷的秘密

据［法］克利斯提昂·约里波瓦同名绘本动画片改编

郑迪蔚／编译

21 二十一世纪出版社
21st Century Publishing House
全国百佳出版社

下蛋，下蛋，总是下蛋！

生活中肯定有比下蛋更好玩的事情！

我发现了爷爷隐藏多年的秘密……

这天，阳光灿烂，一阵阵柔和的春风带来甜美的花香。鸡舍里迎来了一位特殊的客人，她是公鸡爷爷的妹妹——罗西。

罗西奶奶是位苏格兰范儿的女士，她戴着方格小帽，肩上还斜披一条花格呢毯，十分洋气地出现在大家面前。

“天哪！我妹妹来了，
没有什么比这更糟的了！”

准备去度蜜月的皮迪克和卡梅拉来与大家告别。

"谢谢您！没想到您能这么快赶过来。"

"你们放一百个心，这期间，我会把大家都照顾好的。"
罗西奶奶是个急性子，催促着说，"快点走吧，尽情地享受
你们的二人世界。再会！"

"我亲爱的哥哥！你见到我高不高兴？"罗西奶奶转身跑到哥哥身边，热情地吻了他一下。

公鸡爷爷对罗西的突然出现，没有丝毫喜悦，而是愁容满面，皱着眉头。罗西却以为哥哥是在为皮迪克和卡梅拉出门度假而担心。

"罗西，你要在这儿待很长时间吗？"

"直到卡梅拉和皮迪克度完假回来。"罗西奶奶感觉到哥哥有点不对劲，但也没往心里去，还是很热情地回答。

"那么长时间！"公鸡爷爷吃惊地闪到一旁，用眼睛斜着妹妹不屑地说，"你怎么还抱着个橄榄球？都这把年纪了！也不怕闪了腰，我敢打赌你连一次也没玩过！"

"还有脸说我呢，我就没见过比你玩得更臭的！"说完罗西奶奶就气哼哼地回鸡舍里了。

"看起来，他们见面好像并不愉快？"卡梅利多奇怪地问卡门。

"是啊，你说得对，我也不知道为什么。"

8

卡梅拉和皮迪克来到一处湖光山色的草坪上，这是他们最喜欢的地方了。

"爷爷和罗西奶奶之间的关系总是不好，我不明白为什么他们不能和睦相处。"卡梅拉望着湖中的倒影喃喃自语。

"别去想那些没用的，既然我们到了这儿，就是我俩的二人世界，我们要好好享受假期。来，亲爱的，我已经仔细看过了，草里没有蚂蚁，比上次好多了。"皮迪克躺在草地上，含情脉脉地望着卡梅拉。

皮迪克

卡梅拉

卡梅拉顺从地坐在皮迪克的身边，他们已经好久没有享受过二人时光了。

突然，皮迪克感到身下一阵发痒。

"哎哟！"

只见一群蚂蚁正在往他们的身上爬。

"啊！该死的蚂蚁！"卡梅拉惊惶地跳起来，使劲拍掉身上的蚂蚁。

痒啊！

公鸡爷爷回到鸡舍，发现罗西奶奶正在搬动干草，吓了一跳："讨厌！你不要动我的窝，罗西！我自己能整理好！"

"哦？为什么不行？你从小就不会整理窝！好吧，你也该学学怎么做家务了！"

公鸡爷爷对罗西的话置若罔闻，罗西奶奶气得扔下稻草就走："你简直不可理喻！"

"我们可以给他准备个小惊喜，比如一盘铁板煎青
虫——他的最爱！"卡门信
心满满地说。

"天哪！他们怎么又吵起来了？"

"老这么僵着也不行！我们必须去帮他们和解。"卡门跑去安慰罗西奶奶。

"你们爷爷和我，从小就吵，但这次他实在太过分了！"

森林深处，坏田鼠们对鸡舍的偷盗计划虽然一直没有成功，但他们从来也没放弃过，总在伺机而动。目前，只能忍受克拉拉做的素食。

"我受不了了，清汤寡水的！没滋没味！"田鼠普老天饿瘪了肚子抱怨道。

"头儿，我在汤里面还放了点蘑菇呢。"

"我已经受够了整天吃素食！你最好在今天晚上之前给我找些肉食来……"

"……否则，你就被驱逐了，自个儿在森林里过吧！"普老大愤怒地指着克拉拉大骂。

田鼠克拉拉赶紧跑开了："头儿，你不会今天晚上就撵我走吧，头儿？我怕黑……"

"是从今儿个起的每个晚上，蠢货！"

卡梅利多、卡门和罗西奶奶端出一
盘香喷喷的铁板煎青虫：
　　"给你个惊喜，爷爷！"

　　公鸡爷爷正皱着眉头背着个麻袋往外走，被身后的叫
声吓了一跳。

　　"看，我们给你准备了什么，爷爷？"卡门捧着盘子高
兴地送到爷爷面前。

　　"你最爱的菜！"卡梅
利多得意地说。

16

公鸡爷爷一个劲儿摇头："哦，不！不是，我讨厌虫子被煎得焦黄。我现在要把脏干草扔掉！"

公鸡爷爷头也不回地背起包袱朝外走去。

"但是爷爷，我们煎的虫子很酥脆，以前你不是很喜欢吗？"卡梅利多很奇怪爷爷突然转变了态度。

罗西奶奶很失望："简直是白费功夫！我哥哥是个不折不扣的老顽固！"

公鸡爷爷见小鸡们都没有跟过来，悄悄绕了一圈将包袱里的东西拿出来藏在草垛里。

"放在这儿就安全了……"

贝里奥恰好在草垛顶上睡觉，听见草垛里发出一阵阵怪声，吓坏了，一溜烟跑到卡门和卡梅利多跟前。

"草垛……草垛……会叫……嘎吱嘎吱地叫！"

"哦！那一定是罗西奶奶在吹哨，她刚才说要玩橄榄球，可能比赛开始了！"卡梅利多放下手中的盘子往空地跑去。

"没准奶奶和爷爷在玩球的时候能和解。"卡门开心地跟了过去。

皮迪克和卡梅拉摆脱了蚂蚁的困扰后，重新找到了一个风景更美的地方休息。

"你还记得当初我是怎么把你抱进新房的吗？"皮迪克看着恩爱多年的卡梅拉，似乎又回到了年轻的时候……

卡梅拉望着帅气依然的皮迪克，非常幸福地躺在他的怀里，回忆着自己漂洋过海，终于在海的另一边遇到真爱的情景……

"哎哟,我的腰!"皮迪克一个不小心闪着腰,动不了了。

"你看,也许我们回家会更好些,你觉得呢? 来吧,我也抱你一回。"卡梅拉温柔地建议道。

空地上,橄榄球赛开始了。

只见罗西奶奶接过球，向前冲去……

不想球被爷爷夺了过去……

"站住！这是前传球！橄榄球只准有一次前传球！重新来！"罗西奶奶制止道。

"看来奶奶要给爷爷上一课了。"卡梅利多吐了吐舌头。

公鸡爷爷也不甘示弱，和罗西奶奶对峙起来。

"来呀……我等着呢！"

"你是在说我吗？让你见识见识我的厉害！"
兄妹俩情绪激动，互不相让。
"比赛时不许争吵！"
卡门一看事态不妙，赶紧跑来劝阻。

爷爷和奶奶抱着球，你争我夺地在空地上飞奔。

"认输吧，罗西。你什么时候赢过我！"

罗西奶奶不甘示弱想要从后面抢过球来，却没追上公鸡爷爷。

突然，罗西奶奶被饮水槽绊了一下，重重地摔在了地上。"啊！"

哎哟！

"哎哟，我满眼冒金星，腰也动不了了。"

"罗西，你没事吧？我不是……我不是故意要弄伤你……"公鸡爷爷急忙跑回来。

"别碰我！这全都怪你！"罗西奶奶气呼呼地从地上坐起来指责爷爷，"我再也不理你了！"

罗西奶奶独自坐在大门前生闷气。

"算了,我看我还是到别的地方待着比较好。"

"都是橄榄球惹的祸!看起来他们俩的关系比以前更糟了,怎么办呀?"卡门望着远去的爷爷,心里很难受。

　　卡梅利多抱着几个玉米走过来安慰罗西奶奶："送你一把玉米，换个好心情！"

　　"非常感谢你，卡梅利多。你真是个善解人意的好孩子。"

　　躲在围墙后的田鼠克拉拉心想：玉米炖老母鸡，这道食谱很不错嘛。

"你们看，这是什么？"

贝里奥费劲地从草垛里拖出一个奇怪的东西。

"我刚才就听到草垛里面有响声，猜想里面准藏着什么东西，你们认识这个吗？"

正在小鸡们一筹莫展的时候，公鸡爷爷从后面走过来。

"你们怎么找到它的？"

"这个东西叫风笛，是罗西最喜欢的宝贝，她从小就爱吹风笛，但是她吹得太烂了，声音简直叫人无法忍受，所以我只好把它藏起来，不让她发现。唉，直到现在她还不知道风笛是被我拿走的，藏了这么多年的秘密，让我一直觉得很内疚……"

爷爷接着说："她一来到鸡舍，我害怕她收拾东西的时候找出来，就把风笛藏到了草垛下面。"

　　"罗西奶奶怎么不见了？她不会是出走了吧？"贝里奥指了指刚才罗西奶奶坐过的位置。

　　"啊，她会去哪儿呢？她对这里人生地不熟的，如果出了什么事情，我一辈子都不会原谅自己。"爷爷痛苦地说。

　　"别担心，爷爷，我们会把她找到带回来的。"

"放我出去，你们要干什么？"
罗西奶奶在口袋中使劲挣扎。

"不，不，就不！"田鼠
克拉拉吹着口哨，幻想着今
晚的鸡宴大餐，口水都流出
来了。

"把风笛带上，也许她看
到这个，会原谅我……"
"放心吧，爷爷，我来拿
风笛。"贝里奥自告奋勇道。

卡门和卡梅利多跑在前面，特别叮嘱贝里奥："千万别出声！那边好像有情况。"

贝里奥扛着风笛，感觉越走越重，他有点后悔接受这个任务了。

"看前面有个坏蛋田鼠，一定是他搞的鬼。小心点！"卡门和卡梅利多放慢脚步跟了过去。

　　贝里奥嘴上答应着，却没注意脚下，被石头绊了一跤，摔在风笛上，风笛立即发出一阵刺耳的噪音。

　　田鼠克拉拉吓了一跳："是什么野兽的叫声？还是我神经太紧张了？或者是我饿得产生幻听了？赶快回家交差就没事了。"他扛着麻袋，加快了脚步。

卡门、卡梅利多和贝里奥怕
被田鼠发现，躲进了灌木丛中。

眼看着田鼠越跑越快，卡门担
心追不上，就从灌木丛中跑出来，
对着风笛使劲踩下去。

风笛这一次发
出了更大的响声。

哧呜～

"救命呀！这次一定是野兽饿了的吼叫声，它会不会先吃掉我？妈呀！逃命要紧！"田鼠克拉拉扔下包袱就往树丛里钻。

快逃！

罗西奶奶闷在麻袋里仍忍不住兴奋，她很久没听到这个熟悉的声音："我没听错吧？是我的风笛！"

卡门和卡梅利多顺利地找到罗西奶奶，把她从布袋里放了出来。

"真的……这真的是我的风笛！天哪，今天是大喜的日子！"罗西奶奶抚摸着久违的心爱之物，心情特别激动。

"咱们必须赶快离开这里！"卡梅利多提醒道。

"等一下，我要给这帮坏蛋田鼠来个调包计！"卡门想出一个好主意。

田鼠克拉拉在树丛中躲了一会儿，探出脑袋四处张望。

"野兽好像走了，我得赶快把大餐给头儿带回去，头儿一定会很喜欢的。"

"嘿！大餐来了，头儿！香喷喷的玉米炖母鸡。"

　　田鼠普老大和细尾巴早就安上了锅，烧着了火，单等着克拉拉的大餐下锅。

　　田鼠克拉拉一股脑儿将麻袋里的东西都倒在锅里。

　　"玉米炖鸡！我的鸡呢？我的鸡到哪儿去了？"克拉拉困惑地看着锅里的玉米和石头。

　　"蠢货！你难道分不清一块石头和一只鸡吗？"田鼠普老大忍无可忍地暴打克拉拉。

砰！

砰！

皮迪克在卡梅拉的搀扶下，一摇一晃地走回了鸡舍。

"啊……总算回家了……"

突然一阵阵刺耳的声音响彻鸡舍。

公鸡爷爷和小鸡们捂着耳朵痛苦地忍耐着。

"天哪！出什么事儿了？"皮迪克惊异地四处查看。

原来是罗西奶奶在吹风笛。

连刺猬皮克和尼克兄弟都捂着耳朵蜷缩起来。

"这是什么声音？太恐怖了！"

恰好，罗西奶奶吹着风笛走到围墙边上，风笛被缩成一团的刺猬的刺扎破了……

"啪！"

"我的风笛！"罗西奶奶心痛地看着破损的风笛。

一下子噪音消失了，所有人都长舒一口气。

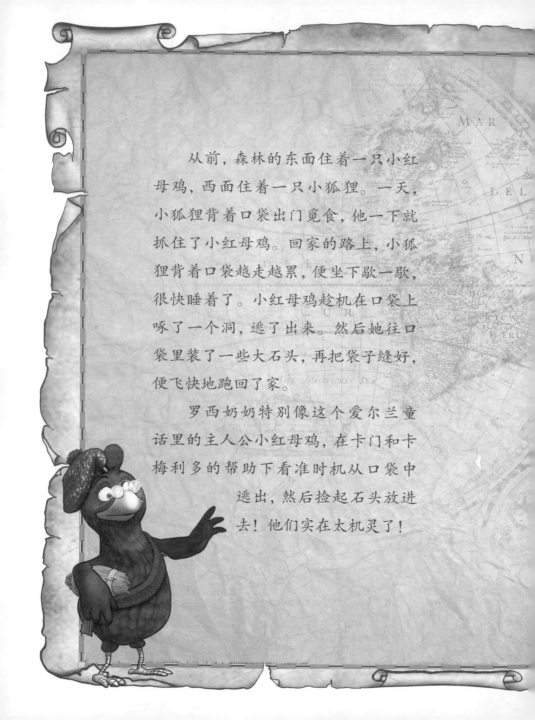

　　从前，森林的东面住着一只小红母鸡，西面住着一只小狐狸。一天，小狐狸背着口袋出门觅食，他一下就抓住了小红母鸡。回家的路上，小狐狸背着口袋越走越累，便坐下歇一歇，很快睡着了。小红母鸡趁机在口袋上啄了一个洞，逃了出来。然后她往口袋里装了一些大石头，再把袋子缝好，便飞快地跑回了家。

　　罗西奶奶特别像这个爱尔兰童话里的主人公小红母鸡，在卡门和卡梅利多的帮助下看准时机从口袋中逃出，然后捡起石头放进去！他们实在太机灵了！

不一样的卡梅拉动漫绘本

据[法]克利斯提昂·约里波瓦同名绘本动画片改编

共 32 册

穿越历史 解读经典 话语幽默

下蛋，下蛋，总是下蛋！

生活中肯定有比下蛋更好玩的事情！

这次我们要到远方去探险……

莫扎特、小红帽、马可波罗、堂吉诃德、

达·芬奇、富兰克林这些历史上的名人都会

出现在我们的生活里……

不一样的卡梅拉
3D 动画片（六盒装 DVD）

D'après la collection de livres de Ch. Heinrich et Ch. Jolibois © Pocket Jeunesse. D'après la série animée réalisée par JL François – bible littéraire M. Locatelli & P. Regnard © Blue Spirit Animation / Be Films
Titre de l'épisode « Le secret de Cokpapy » écrit par M. Locatelli
Les P'tites Poules © Blue Spirit Animation

Chinese simplified translation rights arranged with Chengdu ZhongRen Culture Communication Co.,Ltd,
本书中文版权通过成都中仁天地文化传播有限公司帮助获得

据［法］克利斯提昂·约里波瓦同名绘本动画片改编

图书在版编目（CIP）数据

我发现了爷爷的秘密 / (法) 约里波瓦文；
(法) 艾利施绘; 郑迪蔚编译.
-- 南昌：二十一世纪出版社, 2012.11
（不一样的卡梅拉动漫绘本；4）
ISBN 978-7-5391-8238-4

Ⅰ.①我… Ⅱ.①约…②艾…③郑…
Ⅲ.①动画—连环画—作品—法国—现代
Ⅳ.①J238.7

中国版本图书馆CIP数据核字(2012)第266454号

版权合同登记号 14-2012-443
赣版权登字—04—2012—763

我发现了爷爷的秘密　郑迪蔚 / 编译

策　　划	张秋林	郑迪蔚
责任编辑	黄　震	陈静瑶
制　　作	敖　翔	黄　瑾

出版发行　二十一世纪出版社
www.21cccc.com　cc21@163.net
出 版 人　张秋林
印　　刷　广州一丰印刷有限公司
版　　次　2012年12月第1版　2013年5月第3次印刷
开　　本　800mm×1250mm 1/32
印　　张　1.5
印　　数　80201-110200册
书　　号　ISBN 978-7-5391-8238-4
定　　价　10.00元

本社地址：江西省南昌市子安路75号　330009（如发现印装质量问题，请寄本社图书发行公司调换 0791-86512056）